FIN DEL JUEGO

CARGANDO...
CARGANDO...
CARGANDO...

SIN SEÑAL

¡HOLA!
¡hola!

Matthew Cordell

Editorial EJ Juventud
Provença, 101 – 08029 Barcelona

Hola, Mamá.

Hola.

Hola, Papá.

Hola, Max.

ZAP

BIP

PUP

Suspiro.

Hummm...

Hola...

...hoja.

Hola, mariquita.

Hola,

flor.

¡Hola,

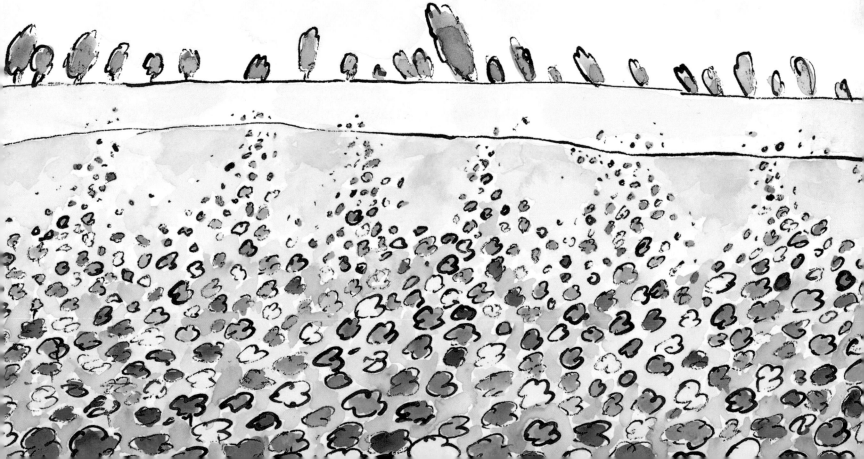

Hola..., ¿caballo?

RING

RING

RING

¿Hola?

Hola... ¡hola!

Las ilustraciones de este libro han sido realizadas
con pluma y tinta china, lápices de colores, un ordenador Mac,
una impresora de inyección de tinta de gran formato
a prueba de agua y acuarela sobre papel.

Título original: HELLO! HELLO!
® Texto e ilustraciones: Matthew Cordell, 2012

Publicado originalmente en EE.UU. y CANADÁ por Disney, Hiperion Books
Edición castellana publicada por acuerdo con Disney, Hiperion Books

Todos los derechos reservados

® EDITORIAL JUVENTUD, S. A., 2014
Provença, 101 - 08029 Barcelona
info@editorialjuventud.es
www.editorialjuventud.es

Traducción de Teresa Farran i Vert
Primera edición, 2014

ISBN 978-84-261-4025-8

DL B 3968-2014
Núm. de edición de E.J.: 12.759

Printed in Spain

Para Julie y Romy
todo y para siempre